# PLOUF!

Philippe Corentin

# PLOUF!

l'école des loisirs
11, rue de Sèvres, Paris 6ᵉ

Voilà, c'est l'histoire d'un loup qui a très faim,
mais alors très, très faim.
Un soir, au fond d'un puits, il voit un fromage.

Il se penche pour l'attraper.
Il se penche, il se penche et plouf !
Il tombe dans l'eau.

Il s'aperçoit alors que le froma…
Patatras ! Voilà le seau !

… Il s'aperçoit donc que le fromage n'était
que le reflet de la lune.
Il est furieux, il est trempé, il a froid, et il ne sait pas
comment remonter.
Ah ! Du bruit. Là-haut quelqu'un s'approche.

C'est un cochon.

« Qu'est-ce que tu fais là ? » s'étonne le cochon.

« Eh ! Je suis bien, ici. Il fait frais et tout et tout,
et il y a un gros fromage. Tu peux venir, si tu veux… »

« Oui, mais comment je descends ? »

« Tu t'accroches à la corde », dit le loup.

Hop ! Le cochon descend.

Et hop! Le loup remonte.
Il va pouvoir attraper le cochon…

Non ! Le cochon, gras comme un cochon,
descend trop vite.
Raté !

« Ah ! Le cochon ! » dit le cochon qui s'aperçoit
que le loup lui a menti. L'énorme fromage n'était que
le reflet de la lune.

Il a froid, et il est furieux. Comment remonter ?
Le temps passe. Il a de plus en plus froid
et il est de plus en plus furieux.
Le loup a disparu, la lune aussi. Il fait presque jour.
Ah ! Du bruit.

C'est un lapin. Une famille de lapins.

« Ah, ça ! Mais qu'est-ce que tu fais là ? »
demande le père lapin.

« Eh ! Je suis bien, ici. Je me baigne,
je nage, je plonge… Je m'amuse
beaucoup, mais je m'en vais car,
comme dans tous les puits à carottes,
il y fait trop chaud… »

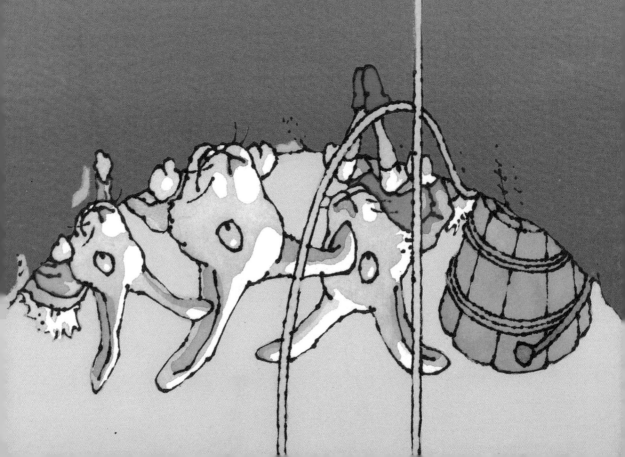

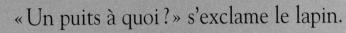

« Un puits à quoi ? » s'exclame le lapin.
« Un puits à carottes ! » hurle le cochon.
« Comment descend-on ? »
« Pour descendre dans un puits
à carottes, monsieur le lapin,
on prend le seau », s'énerve le cochon.

Hop ! Les lapins descendent.
Et hop ! Le cochon remonte.
« Bon appétit ! » dit le cochon.
« Et attention à l'indigestion. »

Brr ! Les lapins ont froid.
Ils claquent des dents,
et pas une seule carotte évidemment.
Ils remontent, mais pas très, très haut.
Ah ! Des pas.
Brr ! C'est un loup.
Le loup du début, celui qui avait
très, très faim.
« Hi, hi ! Qu'est-ce que vous faites là ? »
ricane le loup.
« Oh, là, là ! Tu ne peux pas savoir
comme on est bien, ici... »

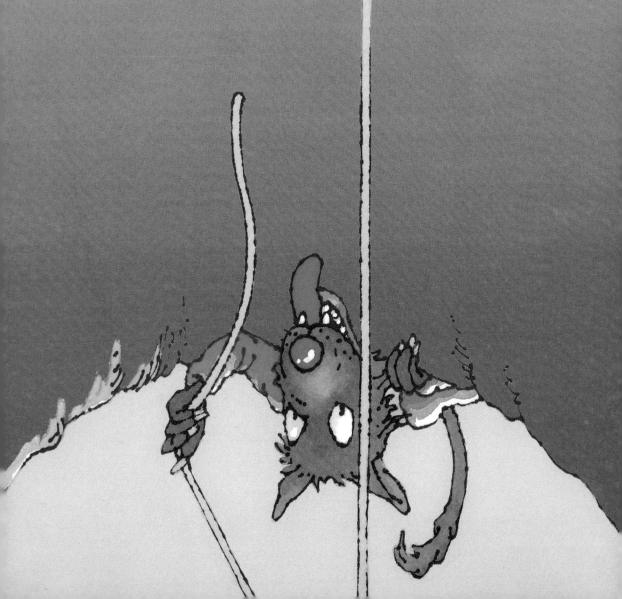

« Taratata ! C'est ça… C'est ça…
et je parie qu'il y a un gros fromage,
hein ? » rétorque le loup, qui n'en
peut plus tellement il rit.

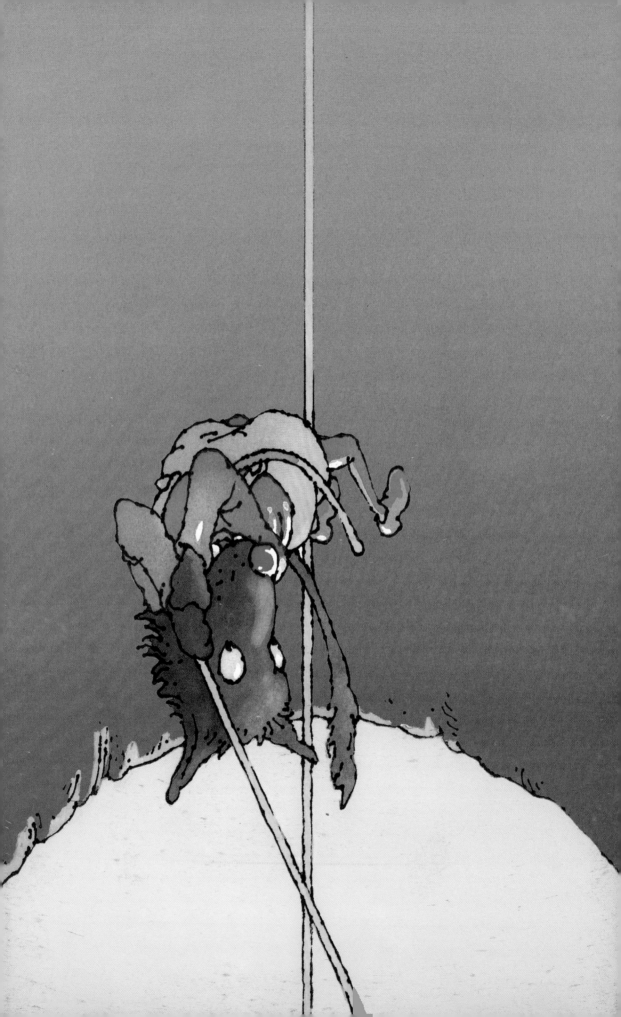

« Non, il n'y a pas de fromage,
mais il y a plein de lapins
à manger », répond finement
le père lapin. « Tu n'aimes
plus ça ? »
« Mais si, mais si ! » s'esclaffe
le loup qui, oubliant toute
prudence, saisit la corde
et se jette dans le puits.

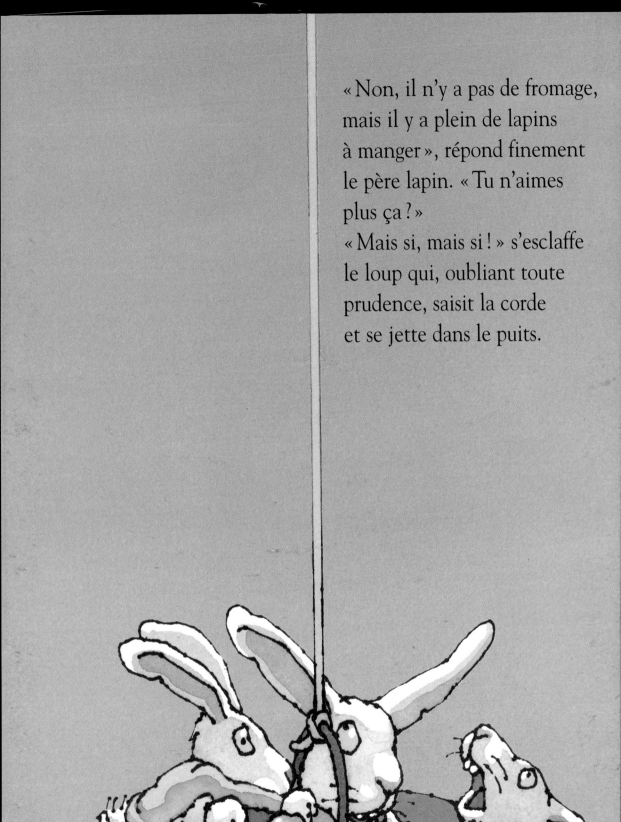

Ça y est!
Les lapins remontent.
Le loup essaie
d'en attraper un au passage
mais, trop pressé,
il descend trop vite.
Beaucoup plus vite
qu'il ne le voudrait.

RATÉ !

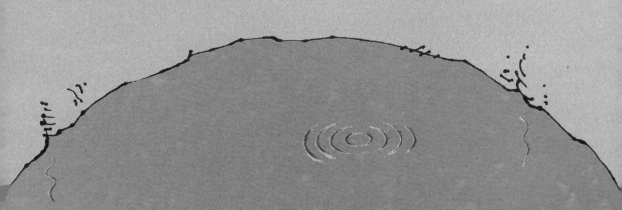

Plouf ! fait le loup en tombant dans l'eau.
Ouf ! font les lapins en arrivant là-haut…

… Et boum ! fait le seau.
Et ouille ! fait le loup.

© 1991, l'école des loisirs, Paris
Loi numéro 49 956 du 16 juillet 1949 sur les publications
destinées à la jeunesse : mars 1991
Dépôt légal : février 2013
Imprimé en France par CPI Aubin Imprimeur
ISBN 978-2-211-02641-3